D1378583

C'est l'

histoire...

d'un él

Agnès de Lestrade
Guillaume Plantevin

éphant...

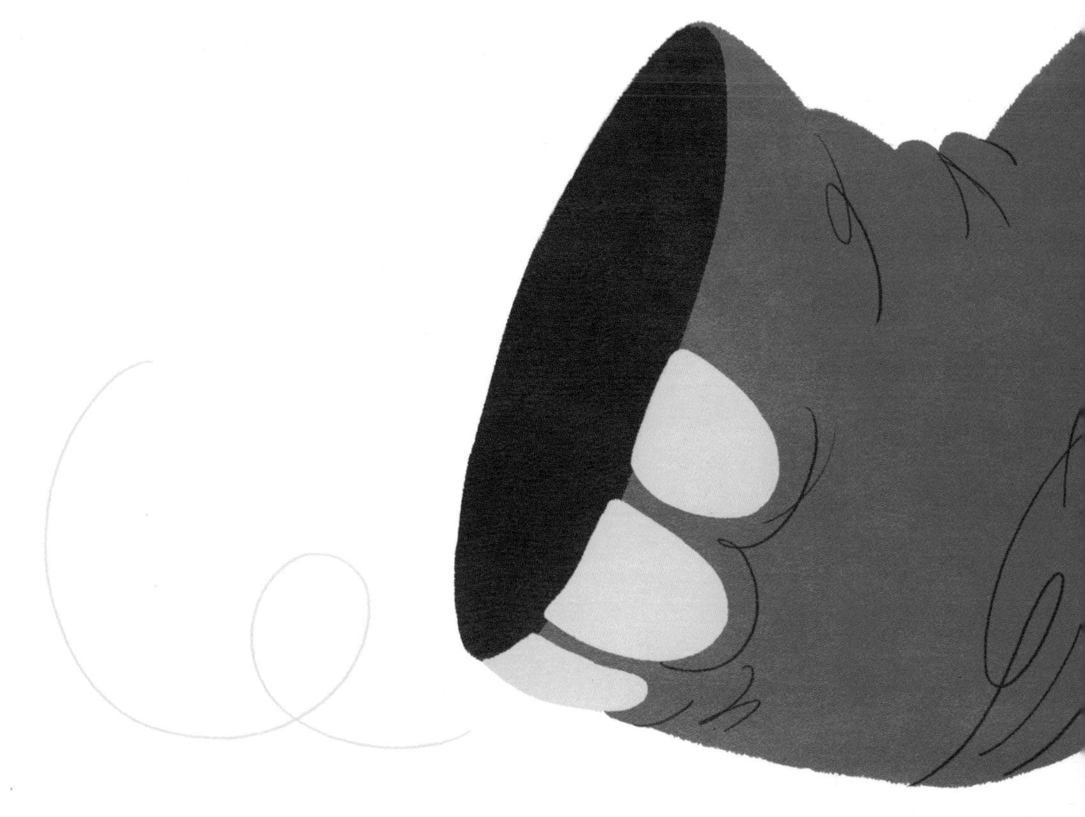

C'est l'histoire d'un éléphant qui n'est pas content parce qu'il a mal dormi à cause d'une chauve-souris qui a fait « crunch crunch » toute la nuit, pile au-dessus de son lit.

Au matin, l'éléphant, de très mauvaise humeur, croise son voisin le singe.

« Sors de mon chemin avant que
je te croque le popotin ! » crie l'éléphant.
Et le singe, qui est tout riquiqui
à côté de l'éléphant, s'enfuit en courant.

C'est l'histoire d'un singe qui n'est pas content à cause d'un éléphant qui a mal dormi à cause d'une chauve-souris qui a fait « crunch crunch » toute la nuit pile au-dessus de son lit.

Sur le chemin, le singe croise un serpent :
« Si j'étais toi, je disparaîtrais !
Je suis très très énervé !
Et je risque de te transformer en sac à main
pour ma fiancée ! »

Et le serpent, qui est beaucoup plus riquiqui
que le singe, file sous un rocher sans se retourner.

C'est l'histoire d'un serpent qui n'est pas content à cause d'un singe qui a eu peur d'un éléphant qui a mal dormi à cause d'une chauve-souris qui a fait « crunch crunch » toute la nuit, pile au-dessus de son lit.

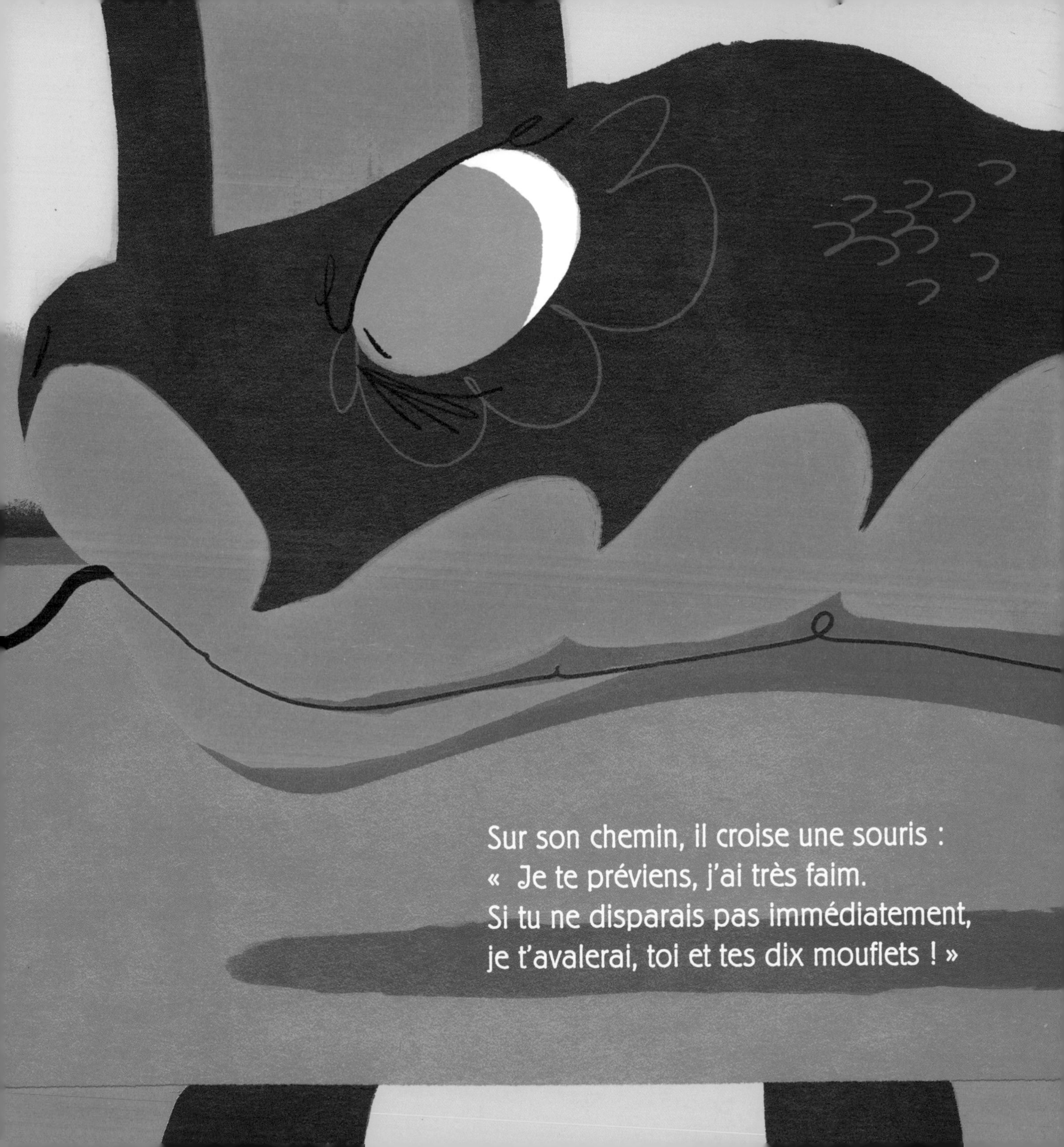

Sur son chemin, il croise une souris :
« Je te préviens, j'ai très faim.
Si tu ne disparais pas immédiatement,
je t'avalerai, toi et tes dix mouflets ! »

Et la souris s'enfuit en criant comme
une souris qui a très peur d'un serpent.

Et c'est comme ça qu'elle tombe sur l'éléphant, celui qui n'était pas content parce qu'il n'avait pas dormi de la nuit à cause d'une chauve-souris… enfin… tu connais la suite.

D’accord, une souris, c’est riquiqui à côté
d’un éléphant ; mais les éléphants ont très peur
des souris qui pourraient entrer dans leur trompe

Alors la souris fait « bouh ! »
Juste « bouh ! »
Et ça suffit à faire fuir l'éléphant,
qui part en courant s'enfermer dans sa maison.

C'est l'histoire d'une souris
très très fière d'avoir fait peur à l'éléphant
et qui s'en va de ce pas raconter
ses prouesses à sa meilleure amie
la chauve-souris, celle-là même qui
avait fait « crunch crunch »... bla-bla-bla.

Et les deux copines rient tellement,
pile au-dessus du lit de l'éléphant que…

Si tu veux connaître la suite de l’histoire, relis-la !